Le sauvetage de Madeleine

Ludwig Bemelmans

LE SAUVETAGE DE MADELEINE

adapté de l'américain par Michèle et
Christian Poslaniec

lutin poche de l'école des loisirs
11, rue de Sèvres, Paris 6e

ISBN 978-2-211-02196-8

Première édition dans la collection *lutin poche* : mars 1986

Titre original : «Madeline's Rescue » (The Viking, New-York, 1953)
Loi numéro 49 956 du 16 juillet 1949 sur les publications
destinées à la jeunesse : mars 1986

Dépôt légal : décembre 2014
Imprimé en France par Clerc à Saint-Amand-Montrond

A Paris, dans une vieille maison
aux murs recouverts de vigne
vivaient douze petites filles.
Chaque jour, à neuf heures et demie
Par beau temps ou sous la pluie,
Parfaitement rangées, elles quittaient le gîte.
C'était Madeleine la plus petite.
Elle n'avait pas peur des souris,
Elle aimait la glace, la neige, l'hiver gris.
Au zoo le tigre rugissait
Mais Madeleine s'en moquait !

Et nul ne savait comme elle
Faire peur à Miss Clavel...

Jusqu'au jour où Madeleine
En glissant tomba dans la Seine.

La pauvre allait se noyer,

36

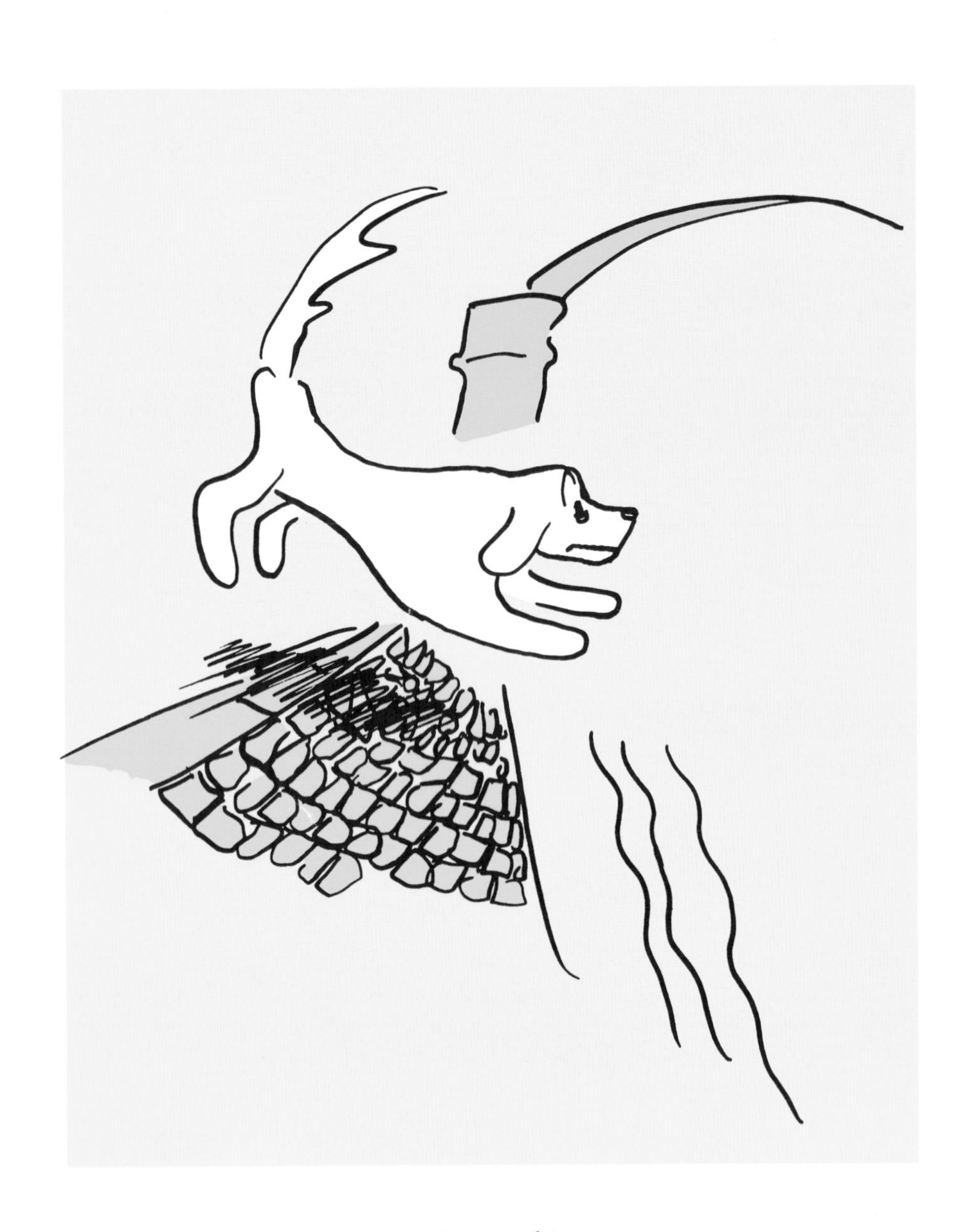

Mais un chien

Sut la sauver

Et parvint à la ramener.

« Maintenant, je l'espère, tu m'obéiras,

J'ai préparé de la camomille pour toi.»

«Dormez bien, petites filles, passez une bonne nuit!»
«Très chère Miss Clavel, bonne nuit, bonne nuit!»

Dès la lumière éteinte et Miss Clavel sortie
Elles se querellèrent comme des chipies,
Chacune désirant le chien près de son lit.

Le nouvel élève était intelligent
Et qui plus est coopérant.

Le chien aimait le lait, le bœuf et les biscuits
Et les fillettes l'appelèrent Rosalie.

Rosalie parlait et chantait.

Les promenades l'enchantaient.

La neige tomba bientôt,
Mais dedans il faisait chaud
Et l'hiver s'en fut très tôt.

A l’approche du mois de mai
Chaque année on se préparait.

Alors débarquèrent les officiels
Pour faire leur inspection annuelle.

L'inspection était complète ;
Ça déplaisait aux fillettes.

«Tap, tap!» «Qu'est-ce donc?»
«Tap, tap!» «Allons bon!»
«Mais c'est un chien, ma parole!
C'EST INTERDIT DANS UNE ÉCOLE!»

«Qu'on le mette dehors, s'il vous plaît, Miss Clavel»,
Dit le président du comité officiel.
«Oui, mais les enfants l'aiment tant»,
Dit-elle. «Soyez donc indulgent.»

«Je vois», dit Lord Cucuface,
«Que cela manque de grâce,
Si des jeunes filles embrassent
Cet animal sans race!»

« Va-t-en ! Cours ! Sauve-toi !
Disparais, et ne reviens pas ! »

Madeleine sur une chaise monta.
«Lord Cucuface, prends garde à toi!
Le chien le plus noble de France,
Rosalie, aura sa VEN-GEAN-CE!»

«Ça ne sert à rien de pleurer.
On ferait mieux de s'habiller.
Car plus vite nous partirons...
Plus tôt nous le retrouverons.»

Elles cherchèrent

dans tous les coins

Où pouvait se nicher un chien.

Elles l'appelèrent partout

Mais de réponse pas du tout.

Les gendarmes dirent : « On ne croit pas
Avoir vu un chien comme celui-là. »

Plus tard, elles étaient rentrées
Totalement désespérées.

«Rosalie, où es-tu donc?
Reviens vite à la maison.»

Au beau milieu de la nuit
Miss Clavel entend du bruit.
«Que se passe-t-il ici?»

Un vieux bec de gaz éclaire
Rosalie sur son derrière.

On la cajole, on la nourrit,
Et tout le monde retourne au lit.

« Dormez bien, petites filles, passez une bonne nuit. »
« Très chère Miss Clavel, bonne nuit, bonne nuit ! »

Dès le départ de Miss Clavel
Naît à nouveau une querelle,
Car chacune de ces chipies
Veut Rosalie pour la nuit!»

Pour la seconde fois de la nuit
Miss Clavel se réveille au bruit.

Miss Clavel s'apprête vite,
Craint un drame...

Se précipite.

«Si c'est pour Rosalie de nouveau la chamaille,
«Je regrette mais alors, il faudra qu'elle s'en aille!»

Quand la querelle fut finie...
Tout à coup ce fut l'accalmie.

Pour la troisième fois de la nuit
Miss Clavel se réveille au bruit,

Et c'est alors qu'elle découvrit

Qu'il y avait assez de petits

Pour que douze fillettes sourient.